Les prédateurs au pouvoir

Graphisme de la couverture : offparis.fr
© photographie de couverture :
Matthias Naumann et Hatakeyama Satoru chez fotolia

4 impasse de Conti
75006 Paris
www.editionstextuel.com

ISBN : 978-2-84597-585-9

Monique Pinçon-Charlot
Michel Pinçon

Les prédateurs au pouvoir

Main basse sur notre avenir

textuel

Sommaire

Main basse sur notre avenir

« J'ai du mal à refuser l'argent parce que c'est ce que j'ai fait toute ma vie. Je prends et je prends et je prends. Vous savez, je suis cupide. Je veux de l'argent, de l'argent. »

Donald Trump,
Nevada, 23 février 2013.

Nous sommes des citoyens malheureux mais des sociologues satisfaits de constater chaque jour la validation de la thèse d'une guerre que les plus riches mènent contre les peuples avec l'Argent pour principale arme. La majuscule symbolise la déification de ce qui était un moyen d'échange entre les hommes et qui est devenu une fin en soi. L'Argent a gagné dans sa rivalité avec les religions pour atteindre l'universel. Marqueur social et critère de réussite personnelle l'Argent s'est converti en instrument de domination des nantis dont la seule raison de vivre est l'enrichissement, les pouvoirs qui lui sont liés et l'euphorie de vies hors du commun. La « main invisible » du marché permet l'accumulation du dieu Argent dans une symbiose dynamique d'une nouvelle phase du système capitaliste, le néolibéralisme, qui transforme les plus riches en « surhommes » et creuse l'abîme entre pauvres et fortunés.

Les milliardaires occupent désormais les plus hautes fonctions politiques. Après Berlusconi en Italie, Piñera au Chili, voici l'entrée fracassante de Trump à la tête des États-Unis. La France n'est pas en reste avec des banquiers de chez Rothschild au cœur de l'Élysée et de Bercy. Le jeune inspecteur des Finances Emmanuel Macron est candidat à la Présidence de la République au nom de la lutte contre les archaïsmes du coût du travail et pour la promotion des actionnaires modernes dans leur avidité de dividendes juteux. Les Hollande et autres Valls ont abandonné le peuple pour servir les banquiers, les patrons du CAC40 et Pierre Gattaz, président d'un Medef jamais rassasié. Plus de gauche ni de droite, tous réunis et unis autour du veau d'or. La solidarité familiale des plus riches permet la démultiplication des petits pains et Fillon en est le Christ. Ce fut le grand partage avec femme et enfants. Un don du ciel en remerciement d'une foi chevillée au cœur.

En 2016 les 8 multimilliardaires les plus riches possèdent ensemble un patrimoine équivalent, en valeur monétaire, aux maigres avoirs détenus par la moitié la plus pauvre de l'humanité, soit 3 milliards 500 millions d'êtres humains. La concentration des richesses est rapide : le club des possesseurs de ces immenses fortunes comptait 65 multimilliardaires en 2015, 85 en 2014 et 388 en 2010. Ces sommes colossales leur permettent de s'accaparer les ressources naturelles, les matières premières, les terres et les produits du travail agricole. Les peuples affamés sont des peuples soumis. Pas de mondialisation heureuse pour la majorité des habitants de la planète mais une marchandisation généralisée et destructrice.

Les profits du réchauffement climatique

La contrainte écologique est devenue incontournable et doit être intégrée dans la course à l'argent. Faire de nécessité vertu, telle est la maxime du système capitaliste qui se nourrit des crises qu'il engendre. Les riches propriétaires des moyens de production ont construit une partie de leurs profits avec la gratuité des matières premières et la possibilité de déverser leurs déchets dans des poubelles à ciel ouvert dans les endroits les plus pauvres de la planète.

Le réchauffement climatique étant aujourd'hui irréversible les oligarques vont pouvoir se protéger, grâce à leurs immenses richesses. Ainsi, après l'ouragan Sandy à New York en 2012, il a été décidé de procéder à l'aménagement de l'East River, pour les parties les plus riches de Manhattan, avec un projet d'un demi-milliard de dollars délicieusement dénommé *East Side Coastal Resilience Project*. Soucieux de se préserver du dérèglement climatique, dont ils portent une large part de responsabilité, les nantis vont ainsi aggraver les inégalités sociales et économiques et en même temps profiter du business lucratif de ce nouveau marché lié à l'adaptation aux bouleversements induits par les atteintes récurrentes aux équilibres du climat. Dans cet arrangement avec la crise environnementale les capitalistes entreprennent la marchandisation des ressources naturelles avec la création de nouveaux produits financiers liés au carbone, à la biodiversité ou aux catastrophes naturelles. L'écologie est aujourd'hui au cœur des rapports de classe : les riches vont tenter de mettre à leur seul profit les conséquences de ce qui s'annonce comme un tsunami dévastateur pour les peuples qui n'auront pas les moyens de se protéger des dégâts liés au réchauffement climatique.

Le protocole de Kyoto a mis en place, en 1997, des objectifs contraignants sur le plan du droit international et des délais pour réduire les émissions de gaz à effet de serre des pays industrialisés. Les mécanismes de sanctions applicables aux États qui ne respecteraient pas leurs objectifs, définis collectivement, n'ont pas dû plaire aux actionnaires et lobbyistes ayant des intérêts dans les énergies fossiles puisque certains pays parmi les plus pollueurs, comme les États-Unis et l'Australie, se sont retirés du protocole.

Mais c'était sans compter avec la cupidité financière qui, sous couvert de lutte contre les éléments les plus polluants, a abouti, dans l'opacité et le cynisme, à un nouveau « marché », celui du droit à polluer. Il est le résultat des transactions par lesquelles certains pays industrialisés, ou des entreprises, achètent des « crédits carbone » à d'autres en vue de se conformer aux exigences du protocole de Kyoto.

Le système a été établi de manière obligatoire dans l'Union européenne sous le nom d'ETS (European Trading Scheme). Un crédit carbone est l'équivalent d'une tonne de gaz carbonique (CO2) évitée. Les pouvoirs publics évaluent le niveau maximal de pollution et attribuent à chaque entreprise un nombre de quotas de pollution dont le prix s'établit en fonction de l'offre et de la demande sur le marché spécifique de l'ETS. Les entreprises ont donc le choix entre investir pour que leur activité soit moins polluante ou acheter des droits supplémentaires à polluer sur le marché alimenté par ceux des entreprises vertueuses qui n'en ont pas eu besoin. Ce marché fonctionnant non pas pour l'intérêt général mais en fonction de l'offre et de la demande, a été victime de certains pays qui ont alloué des quotas généreux à leurs entreprises. Celles-ci ont alors mis sur le marché les surplus de leurs droits à polluer ce qui a eu pour conséquence de faire chuter en 2006 le cours de la tonne de dioxyde de carbone de 30 euros à 1,30 euro. Un prix aussi attractif n'incite pas les entreprises à faire des efforts de réduction de leur pollution. Mieux vaut acheter à bas prix des droits à polluer. Le résultat est sans appel puisque entre 2005 et 2010 il y a eu 600 millions de tonnes de CO2 de plus que si chaque pays avait dû baisser lui-même ses émissions de CO2 sans passer par ce marché des droits à polluer. Ce nouveau marché est évidemment l'objet de fraudes. Le premier procès de ce genre s'est ouvert à Paris en mai 2016 : une vaste affaire d'escroquerie en 2008 et 2009 qui a coûté 1,6 milliard d'euros au Trésor public français. La fraude consistait à acheter des droits à polluer à l'étranger, hors TVA, et à les revendre toutes taxes comprises sur le marché spécialisé Blue Next.

La connexion entre la financiarisation et le réchauffement climatique peut encore être illustrée avec les « obligations catastrophes » (cat bonds), un produit financier en plein essor qui spécule par exemple sur les tempêtes, dans le cadre d'un marché spécifique, le Catex (Catastrophe Risk Exchange).

Au-delà des difficultés à chiffrer précisément le coût financier et humain d'une telle marchandisation de la nature, il faut retenir que la cupidité de l'argent a des conséquences qui relèveront un jour de non assistance à planète en danger et de crimes contre l'Humanité. L'oxymore « droit à polluer » allie volontairement deux termes contradictoires afin de brouiller la perversion de ces dispositions dont la complexité dissimule une nouvelle fois les méfaits des spéculateurs de haut vol.

Dès le début des années 1970 le géant américain des hydrocarbures Exxon Mobil a commencé à faire travailler les scientifiques sur le réchauffement climatique. Celui-ci ayant été avéré, le groupe pétrolier s'est mobilisé contre cette information dramatique. Admise en privé dans les hautes sphères de l'oligarchie mondiale, elle devait être niée devant les peuples. Pour cela Exxon Mobil n'a pas hésité à financer le mouvement Climatosceptique, ce qui a retardé la prise de conscience de la gravité de la situation. Le lobbying acharné des pays charbonniers et gaziers a abouti à ce que toute mention des énergies fossiles soit supprimée de l'accord issu de la Conférence de Paris sur le réchauffement climatique, la COP 21, qui s'est tenue du 30 novembre au 11 décembre 2015. L'article 52 de cet accord exclut, à la demande des États-Unis, toute responsabilité juridique et donc la possibilité de demander des indemnisations devant les tribunaux.

Les pays du G20 se sont engagés à éliminer progressivement les subventions aux énergies fossiles, mais en réalité il n'en est rien, les gouvernements continuent d'attribuer 452 milliards de dollars par an pour la recherche et l'exploitation de carburants fossiles, ce qui représente quatre fois le soutien aux énergies renouvelables. Les États-Unis offre chaque année 20,5 milliards de dollars pour le développement des énergies fossiles soit 51 fois leur aide aux pays sous-développés pour faire face au dérèglement climatique. Le groupe intergouvernemental d'experts sur l'évolution du climat (GIEC) recommande de maintenir sous terre 80 % des réserves d'hydrocarbures déjà recensées, charbon, pétrole et gaz naturel, pour avoir 66 % de chances de limiter le réchauffement climatique à 2°. Mais entre faire du fric ou sauver la planète les investisseurs financiers ont fait leur choix. Depuis 20 ans qu'il existe des conférences internationales sur le climat, les émissions de CO2 ont augmenté de 60 %!

L'Australie, premier producteur et exportateur de charbon, est considéré comme l'un des plus gros pollueurs du monde par habitant. Deux mois après l'accord de la COP 21 à Paris, l'agence nationale australienne pour la science a supprimé la moitié des 700 postes affectés à la mesure du changement climatique, préférant consacrer les moyens de la recherche aux modalités d'adaptation au réchauffement climatique plutôt qu'à le freiner. Les lobbys du charbon sont très puissants en Australie qui héberge pourtant la Grande Barrière de corail, joyau naturel indispensable à la biodiversité.

L'arrivée à la Maison Blanche de Donald Trump a sonné l'heure des faveurs aux pétroliers. Le budget de l'Agence de protection de l'environnement a été réduit de 25 % et son personnel de 20 %. Son nouveau directeur est un proche du lobby pétrolier. La directive qui obligeait les compagnies gazières et pétrolières à communiquer des données sur leurs émissions de méthane a été supprimée comme celle qui encadrait le déversement dans les cours d'eau de déchets miniers contenant des métaux lourds.

Le lobbying s'exerce aussi en contribuant aux campagnes électorales. Bernie Sanders, candidat aux primaires du parti démocrate reprochait à sa concurrente Hillary Clinton d'avoir participé à une collecte de fonds, le 25 janvier 2016, à Philadelphie, au quartier général d'un fonds spéculatif qui a des participations majeures dans l'industrie pétrolière : « Tout comme je ne crois pas qu'on puisse s'attaquer à Wall Street tout en acceptant leur argent, je ne pense pas qu'on puisse s'attaquer aux changements climatiques tout en prenant l'argent de ceux qui profiteraient de la destruction de la planète. »

En France, le lobbying des industries pétrolières et automobiles pèse de tout son poids sur les décisions politiques comme celles d'Emmanuel Macron qui a libéralisé les autocars au détriment du service public du rail. La France, le Royaume-Uni et l'Allemagne exercent de fortes pressions sur les autorités européennes pour affaiblir les procédures de contrôle des véhicules automobiles. Malgré cela les dirigeants de nombreuses entreprises ont mis au point des modalités de trucage en cas de contrôle notamment pour les véhicules qui roulent au diesel.

Les traités de libre échange comme le Ceta, entre L'Union européenne et le Canada, ratifié par les députés européens le 15 février 2017, risquent, avec la concurrence de tous contre tous, de mettre à mal les réglementations climatiques et environnementales car elles constituent des freins à la liberté des multinationales et de leurs actionnaires du « toujours plus ».

Les puissants et les riches instrumentalisent le réchauffement climatique avec la création d'outils financiers qui les enrichiront un peu plus mais qui contribueront à éliminer une partie des plus pauvres de la planète. Les réfugiés climatiques sont estimés actuellement à 25 millions et ils ne vont cesser d'augmenter avec tous les conflits qui en découleront.

L'argent au service de l'oligarchie = le totalitarisme

L'argent qui fait pourtant rêver ceux qui en sont dépourvus s'est transformé en une arme de destruction massive : le canon et la mitraillette des temps dits « modernes ». La concentration de l'argent en quelques mains permet d'attaquer sur tous les fronts : les droits sociaux, la démocratie, l'environnement, jusqu'à l'humanité même. Le néolibéralisme, structuré de manière oligarchique, contrôle tous les aspects de la société. La « pensée unique » a balayé la fracture entre la droite et la gauche et transformé la guerre des classes en une violence invisible, inaudible et indicible qui doit être ressentie comme une « donnée naturelle », allant de soi et donc intouchable.

Ainsi s'est construit une nouvelle aristocratie de l'argent, qui fraye intensément avec celle du pouvoir. Car l'enrichissement à ce niveau engendre des dynasties richissimes, internationales, qui fournissent une partie des élites dans les affaires mais aussi dans la politique et les moyens d'information. Les multimillionnaires de France, Arnault, Bergé, Bolloré, Bouygues, Dassault, Lagardère, Niel, Pigasse, Pinault ou Rothschild, achètent les grands médias pour anéantir la réflexion et le sens critique. L'arbitraire des privilèges doit rester caché pour rendre impossible à la volonté humaine le projet de la construction d'un monde plus équitable. Les titres de propriété, condition de l'exploitation de ceux qui n'ont que leur force de travail à vendre, continuent de se transmettre au sein de la seule confrérie des milliardaires, c'est-à-dire « leur » classe qui ne doit plus connaître ni droits des travailleurs, ni contraintes d'ordre politique, ni frontières.

L'identité mondiale du capitalisme financiarisé

La tentative de demande en 2012 de la nationalité belge par Bernard Arnault, principal actionnaire du groupe LVMH, dont la fortune professionnelle est passée de 23 milliards d'euros en 2007 à 30 milliards en 2016 selon le magazine *Challenges*, confirme le caractère systémique du refus des plus riches à contribuer à la solidarité nationale. Ceux-ci souhaitent non seulement s'affranchir de leurs impôts, mais, avec le signal du plus doté d'entre eux, ils refusent désormais les contraintes liées à une identité nationale devenue un frein à l'identité mondiale du capitalisme dérégulé et financiarisé dans lequel Bernard Arnault occupe une place de choix.

Le montant de la fraude fiscale des plus riches correspond à celui du déficit public, entre 70 et 80 milliards d'euros par an. La connaissance de ce manque à gagner dans les recettes fiscales n'est pas tant le résultat de la traque des services fiscaux de Bercy que celle du courage de lanceurs d'alerte et de journalistes dont la solidarité internationale explique la présence de dizaines de milliers de « repentis » qui négocient dans les alcôves du paquebot de Bercy voguant sous pavillon de complaisance. L'oligarchie néolibérale est, dans ses composantes de droite et de gauche, mobilisée dans la construction de dettes, déficits et autres « trous de la sécu » comme armes d'asservissement des peuples chargés de rembourser ce qui n'a pas du tout vocation à être remboursé.

Après Nicolas Sarkozy, « Le Président des riches », François Hollande, autoproclamé « Président normal », a, dans un pied de nez cynique, fait le « job » attendu par l'oligarchie internationale. Les dizaines de milliards d'aide aux entreprises n'ont guère servi à créer les millions d'emplois promis mais plutôt à engraisser les actionnaires à travers des augmentations de dividendes. Il est vrai qu'il n'y avait pas dans le Cice ni dans le Pacte de responsabilité de clauses de contrôle de l'utilisation de cet argent. Le gouvernement du « Président normal » a fait passer les lois les plus favorables au libéralisme avec la procédure législative antidémocratique du 49-3 qui permet de contourner la volonté populaire. L'argent corrompt les politiques qui font du mensonge leur mode de gouvernement. En piétinant les valeurs morales d'honnêteté et d'engagement au service de l'intérêt général, certains responsables aux plus hautes fonctions de l'État s'enrichissent au détriment du peuple. Ces forfaitures sidèrent et créent une dislocation symbolique qui empêche le passage à l'acte pour révolutionner un système social inique.

Le libéralisme induit un laxisme collectif, celui d'une classe sociale dont les intérêts ne doivent plus connaître de contraintes, mais aussi un laxisme individuel qui fait du cynisme et du déni de la règle le mode de fonctionnement du dominant. Au néolibéralisme et à ses déréglementations tous azimuts correspond un individu néolibéral sans morale ni principe. C'est ainsi que le Premier Ministre de l'époque, Jean-Marc Ayrault, a pu dire sur France2 que l'exil fiscal de Gérard Depardieu, en 2012, était « assez minable ». Ce qualificatif moral a poussé l'acteur à annoncer, dans une lettre ouverte au Premier ministre qu'il rendait son passeport français et lui demandait: « Qui êtes-vous pour me juger ainsi? ». Cette question sous-entend que l'argent est désormais au-dessus de la politique et que les plus riches n'ont plus à respecter les obstacles que sont les lois et les frontières nationales, afin de poursuivre leur enrichissement personnel ou contribuer au financement d'un parti politique.

Les Le Pen, l'argent et le FN

La destruction de la conscience de classe des dominés n'interdit pas le ressentiment et des formes de haine mais elle peut dévoyer son expression politique vers des choix non conformes à leurs intérêts de classe. C'est le cas du vote populaire en faveur du FN.

Les Le Pen et le FN ont un rapport très décomplexé à l'argent public. Le Parquet National Financier a ouvert, en janvier 2016, une enquête pour déclaration inexacte de patrimoine concernant Marine Le Pen et son père Jean-Marie Le Pen. Selon la Haute Autorité pour la Transparence de la Vie Publique, ils auraient sous-évalué leurs propriétés à près des 2/3 de leur valeur. Marine Le Pen, née à Neuilly-sur-Seine, a grandi dans une aisance confortable. Elle possède avec son père des parts importantes dans le manoir de Montretout, dans une belle maison à Rueil-Malmaison et dans deux villas à La Trinité-sur-Mer et à Millas dans les Pyrénées Orientales. La solidarité financière autour du patrimoine familial est fréquente dans la grande bourgeoisie. Cette sous-évaluation constitue une infraction passible de 3 ans de prison, 10 ans d'inéligibilité et 45000 euros d'amende. Le goût de l'argent des Le Pen fait fi des frontières: Jean-Marie Le Pen est soupçonné d'avoir eu un compte en Suisse de 2,2 millions d'euros, dont 1,7 million sous forme de lingots et de pièces d'or. Mais les familles fortunées ont toujours la possibilité de négocier avec le fisc pour éviter l'ouverture d'une affaire pénale. Ce que font le père et la fille, au risque pour celle-ci d'être assujettie à l'Impôt de solidarité sur la fortune comme son père. Éventualité qui ferait tache dans les corons du Nord.

Depuis 2011 que Marine Le Pen préside le Front National l'ensemble des campagnes électorales ont fait l'objet, pour des raisons financières, de poursuites judiciaires, à l'exception des élections sénatoriales de 2011. Le trésorier du FN, Wallerand de Saint-Just, avocat à la Cour, membre de l'Association d'entraide de la noblesse française, et son vice-président, Jean-François Jalkh, sont tous deux inquiétés pour financement frauduleux des campagnes législatives de 2012 : le premier pour « escroquerie et abus de confiance », le second pour « recel d'abus de biens sociaux ». Marine Le Pen a été placée par les magistrats dans cette affaire sous le statut de témoin assisté.

Treize mises en examen ont été prononcées dans le cadre de la campagne des départementales de mars 2015, dont celle d'un proche de Marine Le Pen, Frédéric Chatillon, ancien membre du GUD (Groupe Union Défense, mouvement étudiant d'extrême droite). La surfacturation des dépenses liées à ces élections a pu permettre au FN d'améliorer ses réserves financières de 1,2 million d'euros sur le dos du contribuable français à travers le remboursement des frais de campagne par l'État pour les partis ayant obtenu plus de 5 % des suffrages exprimés. Le total des remboursements indus pour les différentes campagnes électorales a été estimé à plusieurs millions d'euros par les juges d'instruction.

Le parquet de Paris a ouvert le 15 décembre 2016 une information judiciaire pour « abus de confiance », « recel d'abus de confiance », « escroquerie en bande organisée », « faux et usage de faux » et « travail dissimulé » : toutes formulations aujourd'hui courantes chez ceux qui veulent leur part du gâteau du pouvoir. Et cela devrait continuer puisque les finances de la campagne des élections de 2017 sont confiées à Axel Loustau, jeune dirigeant d'une entreprise de sécurité privée, pourtant poursuivi par le parquet de Nanterre pour « abus de biens sociaux », « blanchiment de capitaux », et « travail dissimulé ».

Les emplois fictifs font aussi partie du fonctionnement du Front National : cinq eurodéputés FN ont embauché des assistants parlementaires rémunérés par le Parlement européen, donc avec l'argent public appartenant aux différents peuples de l'Europe. Ils sont soupçonnés de travailler en réalité au service exclusif du Front National. Ghislain Dubois, avocat au barreau de Liège, assistant parlementaire de deux eurodéputés du FN, est donc bien placé pour prodiguer de bons conseils juridiques et judiciaires pour assurer la défense de ceux qui ont franchi la ligne jaune. Marine Le Pen refuse de rembourser les 339 000 euros que lui réclame le Parlement européen pour l'emploi présumé fictif de 2 de ses assistants, dont sa chef de cabinet qui a été mise en examen le 22 février 2017 pour « recel d'abus de confiance ». La présidente du FN a refusé d'être entendue par la police judiciaire dans le cadre d'une audition libre.

Son immunité parlementaire liée à son mandat de députée européenne explique cette arrogance de classe se prévalant d'un statut de justiciable à part, lui permettant de faire fi des institutions. Cette posture est en contradiction avec sa promesse électorale de soutenir et d'augmenter le nombre de policiers et de gendarmes et surtout avec ses velléités d'accéder à l'Élysée.

La levée de l'immunité ne peut concerner qu'une seule affaire à la fois. Il n'est donc pas surprenant que le parlement européen ait approuvé le 1er mars 2017 une levée de l'immunité parlementaire de Marine Le Pen à la demande du parquet de Nanterre pour une information judiciaire pour « diffusion d'images violentes » avec des photos des exactions commises par Daech qu'elle avait relayées sur son compte Twitter en décembre 2015. Marine Le Pen avait refusé de se rendre à la convocation d'un juge d'instruction en avril 2016. Elle encourt dans cette affaire 3 ans d'emprisonnement et 75 000 euros d'amende. Que Marine Le Pen se prévale de cette immunité pour se préserver de répondre aux injonctions de l'institution judiciaire en dit long sur sa conception de l'élue comme citoyenne hors du commun. Marine Le Pen utilise la même défense que François Fillon. Ils se prétendent être « victimes » du « système » auquel ils appartiennent tous les deux avec le même mépris à l'égard de leurs électeurs qu'ils jugent incapables de comprendre leurs impostures. La dirigeante du FN est allée encore plus loin en menaçant les fonctionnaires qui auraient contribué directement ou indirectement aux ennuis judiciaires du FN, de devoir « assumer le poids de ces méthodes illégales » si le FN arrive à l'Élysée. Ces menaces à l'égard de certains gardiens de l'État de droit, magistrats et fonctionnaires, sont inquiétantes.

La transmission familiale frise parfois la perfection puisque Jean-Marie Le Pen est lui aussi poursuivi par l'Olaf, l'organisme anti-fraude de L'Union Européenne, qui lui réclame 320000 euros pour des emplois fictifs. Ce bref rappel n'est pas exhaustif car il y a bien d'autres problèmes autour du micro parti de Marine Le Pen, ou de faveurs familiales comme le recrutement de son compagnon Louis Aliot en tant qu'attaché parlementaire en 2011-2013 avec un salaire de 5000 euros brut mensuel pour en réalité un mi-temps. Toutes ces affaires confirment une dynastie familiale en cohérence avec les méthodes de l'oligarchie. Avec toutefois une spécificité supplémentaire puisque le patronyme familial Le Pen est un parti politique qui réunit trois générations : Jean-Marie Le Pen, sa fille Marine et son compagnon Louis Aliot, son autre fille Yann et sa petite fille Marion Maréchal-Le Pen. Le FN séduit également des familles anciennes de la noblesse, qui y trouvent des postes de responsabilité.

Marine Le Pen porte un discours très critique à l'égard de l'oligarchie européenne dont pourtant elle contribue à préserver les secrets et l'opacité de sa bureaucratie. Elle s'est ainsi opposée à la création d'une commission d'enquête sur les « Panama Papers » marquant sa complicité avec les fraudeurs. Elle a voté « oui », comme tous les députés français du FN qui ont participé à ce vote, à la directive européenne instaurant le « secret des affaires ». Rappelons que deux de ses proches, Frédéric Châtillon et Nicolas Crochet, sont mentionnés parmi les détenteurs de comptes offshore des « Panama Papers ».

Tout cela est révélateur de la posture de classe à la faveur des dominants d'un parti qui se revendique être le porte-parole du peuple. Marine Le Pen est en osmose parfaite avec le « système » qu'elle dénonce comme Emmanuel Macron et François Fillon ! Ils se coulent tous les trois parfaitement dans la monarchie présidentielle refusant l'instauration d'une VIe République plus démocratique.

Solidarité familiale des Fillon

Nous avons été surpris du choix systématique par François Fillon de ses proches comme assistants parlementaires. Grâce au *Canard Enchaîné* on sait que son épouse Penelope s'est vue proposer dès 1988 un poste d'assistante par son mari, alors jeune député de la Sarthe. En deux ans elle reçoit un peu plus de 80000 euros brut. Ensuite il n'y a plus rien jusqu'en 1997. Mais au 1er janvier 1998, six mois après sa réélection, François Fillon embauche la mère de ses enfants jusqu'à la fin de l'année 2000. Soit pendant trois ans. Elle touche 2550 euros bruts mensuels durant la première année puis 3500 euros pour les deux années suivantes. Un des autres assistants parlementaires de François Fillon trouvant sa paie trop faible a alors reçu en 1999 un complément versé par la région Pays de la Loire présidée par François Fillon…

En mai 2002, François Fillon est nommé ministre des Affaires sociales. Son suppléant, Marc Joulaud, devient député de la Sarthe. Il augmente le salaire mensuel de Penelope Fillon de 52 %, ce qui absorbe 80 % de l'enveloppe qui lui est allouée pour payer ses assistants parlementaires. Ceci est légal puisque Marc Joulaud ne fait pas partie de la famille Fillon et qu'il n'est donc pas limité par la loi de 1996 qui interdit à un député de verser plus de 50 % de son enveloppe à des collaborateurs parlementaires de sa famille. L'autre assistant parlementaire est certes payé 8000 euros bruts mensuel mais par le budget du ministre des Affaires sociales, Fillon toujours. Un mois après cette nouvelle embauche, Penelope Fillon bénéficie de 16000 euros d'indemnités de licenciement de son ancien patron : son mari.

En septembre 2005, François Fillon est élu sénateur de la Sarthe. Dès le 1er octobre, il embauche sa fille aînée, Marie, âgée de 23 ans, comme assistante au Sénat, alors qu'elle est étudiante en droit. Elle touche 3700 euros bruts par mois jusqu'au 31 décembre 2006. Dès le lendemain, au 1er janvier 2007, son frère cadet prend alors le job pour financer ses études de droit. Il encaisse 4800 euros bruts mensuels jusqu'au 17 juin 2007, au moment où son père devient Premier ministre de Nicolas Sarkozy et doit donc quitter le Sénat.

En juin 2012, François Fillon, élu député de Paris, recrute à nouveau sa femme pour plus de 5000 euros brut par mois. Elle cumule alors cet emploi d'assistante parlementaire avec celui de conseillère littéraire à la *Revue des Deux Mondes*. Cette publication est la propriété de Marc Ladreit de Lacharrière, un milliardaire grand ami de la famille, ce qui permettra à Penelope Fillon de recevoir 100000 euros pour 20 mois de bons conseils littéraires. Mais tout s'arrête brutalement en novembre 2013 non sans avoir touché un dédommagement de 29000 euros bien justifié face à la brutalité d'une telle rupture de financement. Le député sait en effet qu'il va devoir déclarer les salaires de sa femme à partir du 1er janvier 2014, conformément à la nouvelle loi pour la transparence du patrimoine des élus contre laquelle François Fillon s'est vaillamment battu. Il en oubliera d'ailleurs de déclarer les 50 000 euros prêtés par Marc Ladreit de Lacharrière sans intérêt et sans date limite de remboursement. Ce prêt sera précipitament remboursé le 27 février 2017.

François Fillon a créé, en juin 2012, une société de conseil, baptisée 2F, qui lui permettra de cumuler 750 000 euros entre 2012 et 2015, en plus de ses indemnités de député. Parmi ses clients on notera la société financière Fimalac de Marc Ladreit de Lacharrière, le cabinet Ricol Lasteyrie Corporate Finance, leader du conseil aux entreprises. Or René Ricol avait été nommé Commissaire général à l'investissement pour gérer, de 2010 à 2012, les milliards du grand emprunt national destiné à la relance économique alors que François Fillon était Premier ministre sous la présidence de Nicolas Sarkozy. Les fils qui tissent la toile d'araignée oligarchique sont toujours savoureux à dévoiler. Rappelons que Marc Ladreit de Lacharrière a été nommé, le 1er janvier 2011, Grand Croix dans l'ordre national de la Légion d'Honneur, l'une des plus hautes distinctions, et ce, à la demande de François Fillon, alors Premier ministre… Une soixantaine de personnes peuvent se prévaloir de cette reconnaissance de la République.

Dès les révélations du *Canard Enchaîné*, le 25 janvier 2017, le Parquet National Financier a ouvert une enquête préliminaire pour des soupçons d'emplois fictifs. Le dossier a été ensuite confié à trois juges d'instruction qui ont convoqué François Fillon le 14 mars et l'ont mis en examen.

Nous avons été sincèrement surpris par cette affaire Fillon. En écrivant notre livre sur Nicolas Sarkozy, *Le Président des riches*, nous avions eu des pensées compassionnelles pour la souffrance que nous prêtions à François Fillon face au rapport décomplexé à l'argent du président de la République au service duquel il est resté fidèle pendant son quinquennat. Nous savions François Fillon engagé dans la foi catholique, comme il l'a rappelé le 3 janvier 2017, au cours du journal de 20 heures sur TF1, alors qu'il était le candidat de la droite conservatrice pour l'élection présidentielle : « Je suis chrétien. Ça veut dire que je ne prendrai jamais une décision qui sera contraire au respect de la dignité humaine, de la personne humaine. » Cette déclaration n'est pas très cohérente avec la laïcité de la République mais elle lui permettait de renforcer l'image éthique d'un homme qui voulait se donner à voir comme intègre. Cette probité avait d'ailleurs contribué à son élection aux primaires de la droite face à Nicolas Sarkozy empêtré dans plusieurs affaires judiciaires et à Alain Juppé qui a payé plusieurs années d'inéligibilité, pour cause de 7 emplois fictifs payés par le conseil municipal de Paris au bénéfice du RPR (LR aujourd'hui) dont il était le Secrétaire général tandis que Jacques Chirac, maire de Paris, en était le président.

Tout cela peut paraître immoral. Mais cette cupidité et cette corruption d'hommes et de femmes politiques mettent plutôt en évidence une guerre de classe dans laquelle les politiciens et hommes d'affaires ne sont pas des « méchants » mais des prédateurs qui utilisent leurs pouvoirs et leur argent comme une arme pour asservir les dominés. Les affaires Le Pen, Fillon et Trump doivent être décryptées avec les outils de la sociologie qui mettent en évidence une classe sociale qui, à tous les niveaux des territoires, a pour seul objectif la défense de ses intérêts et la destruction de toutes les protections pour les autres. Cette violence de classe est légalisée par une grande partie des politiques qui bien qu'ils soient aux ordres, ont mission de raconter une toute autre histoire aux électeurs afin que leurs votes légitiment les intérêts de ceux qui s'accaparent leur travail.

Trump, le symbole de l'argent sans foi ni loi

L'élection du 45e président de la première puissance du monde, en la personne de Donald Trump, est de très mauvais augure sauf pour Marine Le Pen et les responsables du FN qui se sont réjouis de sa victoire. Après une campagne démagogique contre les banquiers et les élites, Trump a nommé, dès son arrivée à la Maison-Blanche, les banquiers de Goldman Sachs aux plus hautes responsabilités : Gary Cohn, son vice PDG, est désormais directeur du Conseil économique national. Stephen Bannon a été promu haut conseiller et chef de la Stratégie. Steven Mnuchin occupe le poste capital de secrétaire au Trésor. La banque Goldman Sachs est encore représentée par Anthony Scaramucci comme conseiller du Président. C'est un ancien avocat de cette banque, Jay Clayton, qui va diriger l'autorité des marchés financiers.

Une des plus grandes sociétés pétrolières et gazières du monde, ExxonMobil, est au cœur de la diplomatie américaine, avec Rex Tillerson, son ex-PDG, nommé ministre des Affaires étrangères. Voilà de quoi générer quelques juteux conflits d'intérêts. D'autant qu'ExxonMobil est la deuxième capitalisation boursière au monde. Un signal fort pour confirmer le déni du dérèglement climatique. Le pétrole et le charbon, la fracturation hydraulique, l'exploitation de sables et de schistes bitumineux : la catastrophe est assurée. Aussi n'est-on pas étonné de retrouver comme ministre de l'Environnement Myron Ebell, un lobbyiste financé par Texaco, Ford et Philip Morris.

Un investisseur milliardaire surnommé « le vautour » a été choisi comme Secrétaire au commerce. Pour le ministère de l'Éducation rien de mieux que Betsy De Vos, milliardaire par héritage et par son mari. Carl Icahn, 43e fortune mondiale, occupe le statut de conseiller spécial. La cooptation sous le seul critère de l'argent se poursuit avec le gendre de Trump, Jared Kusner, milliardaire lui aussi promu conseiller spécial. Une vraie ploutocratie. Le secrétaire au Travail, patron millionnaire d'un groupe de *fast food*, a une réputation sulfureuse avec des convictions antisociales quant aux droits des travailleurs qu'il considère comme des entraves aux profits des actionnaires.

Quelques jours après son investiture Trump signe avec gourmandise et frénésie deux décrets visant à détricoter la loi de régulation de la finance mise en place après la crise financière de 2008, pourtant partie des États-Unis et notamment de la banque Goldman Sachs. Toutes les contraintes réglementaires et prudentielles seront supprimées afin que les riches puissent renforcer leur domination sur les travailleurs. Et ils le montrent de manière ostentatoire. Les ventes de Rolls-Royce ont augmenté de 42 % entre novembre 2016 et janvier 2017 suivant en cela les Lamborghini, les Porsche et autres Ferrari. Or Trump doit son élection aux populations pauvres frappées de plein fouet par la crise des subprimes qui a jeté des centaines de milliers d'américains à la rue, leur maison ayant été saisie par des banquiers qu'ils étaient dans l'incapacité de rembourser, compte tenu de la hausse des taux d'intérêt dont ils n'avaient pas été bien informés. C'est peut-être une des raisons pour lesquelles Donald Trump, né avec 240 millions de dollars dans la bouche, refuse toujours de rendre publique sa déclaration d'impôts.

Mais l'amour de l'argent n'a que faire des mensonges et des impostures. Pire même : le capitalisme de type oligarchique se nourrit de ses crises. Ainsi les règles prudentielles conçues comme des remèdes à la crise de 2008 ont paradoxalement favorisé le développement de la finance de l'ombre. Cette finance des assureurs, des fonds spéculatifs, les *Hedge funds*, ou des fonds communs de placement est hors de tout contrôle. Elle représentait dans le monde, en 2014, 36 000 milliards de dollars, soit deux fois le PIB des USA qui concentrent à eux seuls 40 % de ce *Shadow banking*.

Le totalitarisme doit donc être combattu dans sa globalité. On croit gagner des batailles ponctuelles mais on peut en réalité perdre la guerre. Ainsi la lutte contre la fraude fiscale des plus riches peut, de manière étonnante, aboutir à la généralisation de la baisse des taux d'imposition des sociétés. Avec la promesse de Donald Trump de réduire de 35 % à 15 % le taux américain des impôts sur les sociétés, les multinationales n'auront bientôt plus besoin des paradis fiscaux, leur refus de l'impôt devenant peu à peu légal à l'échelle de la planète.

Vendre des armes au détriment de la paix

Jean-Yves Le Drian, ministre de la Défense, doit se déguiser en représentant de commerce pour vendre les Rafales de Dassault au Qatar (24 rafales en mai 2015 pour 6,3 milliards d'euros), des contrats d'armement pour 15 milliards d'euros à l'Arabie Saoudite, monarchie wahhabite qui finance, entre autres, ses amis sunnites de Daech à l'origine d'attentats abominables en France, en Europe mais aussi aux États-Unis. Le rapport du Congrès américain sur les attentats du 11 septembre 2001 à New York, rendu public en juillet 2016, conclut qu'ils n'auraient pu avoir lieu sans l'aide de l'Arabie Saoudite. Alors que les terroristes arrivaient en effet tout droit de ce pays (15 sur 19), des Émirats arabes unis, d'Égypte et du Liban, les ressortissants de ces pays musulmans n'ont pas été interdits de territoire américain en février 2017 par le Président Trump qui y possède, il est vrai, 23 sociétés.

L'argent à tout prix, tout de suite, quelles qu'en soient les conséquences pour les peuples. Les États-Unis et l'Arabie Saoudite sont liés par un pacte depuis 1945. Cette année-là le président Roosevelt a signé avec le Roi d'Arabie Saoudite, à bord du croiseur USS Quincy, le pacte du Quincy qui, en échange de la protection militaire et politique de la dynastie des Saoud, donne aux USA un accès privilégié à l'exploitation du pétrole d'Arabie Saoudite pour une durée de 60 ans et ce, avec paiement en dollars. Après les attentats du 11 septembre 2001 George Bush renouvellera, en 2005, cet accord pour 60 nouvelles années. Les intérêts du pétrole sont prioritaires par rapport à la sécurité nationale.

Les complexes militaro-industriels prospèrent avec les guerres. La barbarie généralisée est assurée par la logique destructrice et mortifère d'une oligarchie arrimée au capitalisme mondialisé. Les exportations restent dominées par les USA, qui vendent leurs armements dans plus de 100 pays. Entre 2012 et 2016 l'Arabie Saoudite a augmenté ses importations de 212 % avec pour principal fournisseur les USA. En 2013 l'Arabie Saoudite est au quatrième rang pour ses dépenses militaires après les États-Unis, la Chine et la Russie.

Alors que les libéraux avancent sous le masque de la démocratie et des droits de l'homme, l'Arabie Saoudite, où la loi de la charia est appliquée, bénéficie curieusement des honneurs de la France. En Mars 2016 son ministre de l'Intérieur s'y est vu remettre la Légion d'honneur par François Hollande. L'argent a transformé la diplomatie en une diplomatie économique qui donne la priorité aux armes plutôt qu'aux valeurs de La République.

« Tant qu'au centre de l'économie mondiale il y a le Dieu argent et pas la personne, c'est ça le premier terrorisme. C'est un terrorisme de base contre toute l'humanité. » a déclaré le pape François, après l'assassinat du prêtre de Saint-Étienne-du-Rouvray.

Une théorie du complot?

Cette mobilisation intense et systématique de l'oligarchie peut faire penser à un complot alors qu'il s'agit du fonctionnement d'une classe sociale qui existe, selon la théorie marxiste, en soi, c'est-à-dire objectivement, et pour soi, c'est-à-dire subjectivement, avec la conscience d'appartenir à cette classe, perçue comme une grande famille, un réseau et un carnet d'adresses bien rempli. La théorie du complot n'est pas utile pour rendre compte de l'efficacité du collectivisme grand bourgeois qui met en commun, au-delà des richesses qu'il détient, des pouvoirs partiels qui ensemble font la réalité du pouvoir.

Si le complot est instrumentalisé, y compris par les membres de cette caste comme le font Marine Le Pen ou Donald Trump, c'est pour tourner à leur profit la thèse marxiste de la lutte des classes. Que François Fillon se pose en victime d'une meute acharnée en vue de son « assassinat politique » en dit long sur le mépris et le cynisme des politiques qui appartiennent à la classe dominante à l'égard d'électeurs qui ne sont utiles que pour leur permettre de faire carrière en politique, avec tous les avantages liés à cette position. L'immaturité de ces histoires de complots ou d'attaques par un « système » aboutit à une forme de décervelage et à l'impossibilité de percevoir l'ampleur des manipulations et des impostures.

En réalité François Fillon redoute la confrontation avec des juges d'instruction qui, d'une part, refusent la « trêve judiciaire » en période électorale qu'aucun texte n'a jamais prévue et qui, d'autre part, traitent désormais les affaires politico-financières et la délinquance en col blanc avec les mêmes méthodes que celles employées contre le grand banditisme.

Se placer en dehors du « système » est également revendiqué par Emmanuel Macron, le jeune banquier d'affaires souriant de chez Rothschild. À 36 ans cet énarque n'hésite pas à se présenter à l'élection présidentielle alors qu'il ne s'est jamais confronté à une quelconque élection. Mais il n'en a cure car la technocratie ouvre désormais les portes du pouvoir. Les relations sociales que cet inspecteur des Finances a accumulées à Bercy, puis chez Rothschild en 2008 avant d'être nommé par François Hollande en 2012 Secrétaire Adjoint de l'Élysée vont lui être précieuses pour réaliser ses ambitions élyséennes. Le patron du Medef, Pierre Gattaz, apprécie cet exemple parfait du dirigeant néolibéral qui fait fi des élections et des frontières entre le secteur public et le privé car dans les affaires le consensus oligarchique est préférable aux divisions.

En 2011 Emmanuel Macron accède au statut prestigieux d'Associé-Gérant chez Rothschild, derrière lequel se cache en réalité la perspective de commissions encaissées à la suite d'opérations d'achat ou de vente de sociétés qui doivent se réaliser à courte vue pour passer à la suivante afin de maximiser ses profits. Depuis le service des fusions-acquisitions Emmanuel Macron pilote l'achat par Nestlé d'une filiale de Pfizer, une transaction à plus de 9 milliards d'euros. Le chouchou des puissants parvient ainsi au statut de millionnaire avec 2 millions d'euros gagnés entre 2011 et 2012. Ce qui ne l'a pas empêché de sous-évaluer la valeur de son patrimoine auprès de la Haute Autorité pour la transparence de la vie publique pour les années 2013 et 2014. La déclaration rectificative qu'il a dû remplir l'a fait basculer dans le camp des riches assujettis à l'ISF, impôt de solidarité sur la fortune auquel il est opposé. « C'est même une mesure de gauche que de le supprimer », a-t-il clamé en octobre 2016 lors d'un dîner de levée de fonds auprès des exilés fiscaux dans la maison de Marc Grosman, le fondateur de Celio, à Uccle, commune chic de la banlieue de Bruxelles.

« En Marche », le parti ni de droite ni de gauche qu'il a créé au printemps 2016 avec des soutiens financiers depuis Londres et New York, où il a rencontré des PDG de fonds d'investissement, met en avant l'urgence du changement et de la modernisation d'une vieille France accrochée à ses services publics et à ses droits sociaux. Emmanuel Macron refuse de publier la liste de ses donateurs.

Le discours néolibéral avance masqué dans la langue venimeuse des prédateurs qui prétendent se battre contre « le système » et « l'entre soi » pour mieux servir les plus riches dans une régression sociale sans tabou pour les plus démunis. Avec la flexisécurité renforcée dans le sens de la flexibilité, les cotisations patronales encore réduites et l'entreprise comme seul niveau pour les négociations concernant les droits des travailleurs, le pouvoir du capital serait dangereusement conforté. Le conformisme jusqu'à la caricature est transfiguré en un progressisme ouvrant un avenir radieux à la France de demain. « Rencontrer notre esprit de conquête pour bâtir une France nouvelle » tel est son contrat avec la nation. La manipulation idéologique consiste à faire passer une liberté négative et individualiste pour la liberté sociale et de progrès collectivement partagé. Mais ce type d'escroquerie linguistique nécessite de l'entraînement. Le candidat Macron l'a appris à ses dépens lors de l'altercation en mai 2016 avec un ouvrier auquel il a dit de manière méprisante : « Vous n'allez pas me faire peur avec votre tee-shirt. La meilleure façon de se payer un costard, c'est de travailler ! »

Les militants du néolibéralisme de tous les secteurs de l'activité économique, politique et sociale qu'Emmanuel Macron a su mobiliser depuis Bercy, l'Élysée et la banque Rothschild dessinent ensemble une toile d'araignée à la trame complexe mais très solide. Chaque membre de l'oligarchie, comme les banquiers Christian Dargnat ou Bernard Mourad, apporte à Emmanuel Macron ses relations, son propre carnet d'adresses et les liens avec les PDG de fonds d'investissement ou d'hommes d'affaires comme Patrick Drahi dont la fortune repose sur la holding Altice fondée au Luxembourg en 2001. Ces réseaux comme ceux du cercle Le Siècle sont une réserve inépuisable de contacts pouvant être utilisés ou réanimés à tout moment de la campagne électorale.

Une élection présidentielle est une occasion de type monarchique pour réactiver le principe de la cooptation sur la base de l'appartenance à cette classe sociale. La sociabilité mondaine, qui a pu se nourrir également de l'argent public avec dîners et déjeuners à Bercy pour lancer la campagne de celui qui était alors ministre de l'Économie (estimation à 120000 euros), liée à une élection de cette importance pour l'oligarchie est une excellente technique sociale de réactivation des relations et d'entretien de ce maillage infini du pouvoir. Mais la vigilance des citoyens, des journalistes et des magistrats doit faire vivre les oligarques sur le pied de guerre. Ainsi alors qu'il était encore ministre à Bercy, Emmanuel Macron s'est fait ovationner à Las Vegas en janvier 2016 par 500 dirigeants de startups françaises. Cette soirée, montée dans l'urgence, sans appel d'offres, et dont le coût avoisine les 400000 euros, fait l'objet d'une enquête préliminaire ouverte le 13 mars 2017 par le Parquet de Paris pour « favoritisme, complicité et recel de favoristisme ». Si les oligarques se regroupent massivement autour de la candidature Macron c'est parce qu'il présente un recours présentable à tous les citoyens qui ne sont plus en mesure, du seul fait de leur lobotomie effectuée par les médias des patrons du CAC 40, de comprendre que c'est un requin de la finance qui offrira les ors de la République à ses camarades de classe.

L'expression « théorie du complot » est lancée en pâture pour empêcher de voir et de comprendre que l'on baigne dans un roman marxiste du XIXe siècle, ripoliné par un jeu visionnaire dit moderne, dont le mouvement En marche.

L'argent, sang de l'humanité

Au sens propre : de nombreux Américains pauvres vendent pour 60 $ chaque semaine 2 litres de leur sang. Le documentaire *Le business du sang*, qui a été diffusé sur Arte le 21 février 2017, nous a appris que, depuis la crise de 2008, les États-Unis sont devenus le premier exportateur mondial de plasma qui est utilisé par l'industrie pharmaceutique pour produire des médicaments contre le cancer. La quantité de plasma ainsi collectée est passée de 15 millions de litres en 2007 à 32 millions en 2014. Les quatre firmes qui partagent ce secteur font prospérer leur business dans 500 centres installés à travers les États-Unis mais tous situés dans les régions les plus défavorisées. Ces centres sont ouverts douze heures par jour chaque semaine pendant six jours avec des bornes électroniques qui prélèvent le sang, un peu comme le sont les vaches dont le lait est tiré par des machines. L'entreprise suisse Octapharma transforme le plasma acheté bon marché aux États-Unis pour le revendre à prix d'or. Ces prélèvements d'une grande violence symbolique, traitant les donneurs comme du bétail, ont aussi pour effet la disparition progressive du don bénévole et éthique du sang avec des médecins, dont la présence augmente le prix de revient du « produit ».

Au sens figuré : les oligarques ont inauguré une sorte de cannibalisme à travers la transformation en nouveau marché financier des services publics liés au secteur social et à la santé. Les armes de destruction de ces services et de tout ce qui, de près ou de loin, peut ressembler à de la solidarité sociale, doivent être diverses pour pilonner de manière systématique les rapports humains qu'il s'agit de mettre au service des intérêts de l'oligarchie. L'entrée des services liés au secteur social dans la sphère privée transforme des services publics en marchandises financiarisées pour être créatrices de valeur sous forme de titres dont les porteurs seront les profiteurs. Les « contrats à impact social » (CIS) constituent un nouveau type de partenariat public-privé mis en œuvre dans le secteur social. Le 15 mars 2016, la secrétaire d'État chargée de l'Économie sociale et solidaire, Martine Prinville, a annoncé le lancement de ces CIS tout droit arrivés de Grande-Bretagne où ils sont apparus en 2010 sous le nom de « social impact bonds » (SIB) avec la bénédiction du gouvernement de David Cameron. Le social est ainsi promis à devenir un nouveau marché financier au bénéfice des banquiers et des actionnaires de multinationales.

Cette marchandisation détruit le sens même du travail social. Les objectifs d'émancipation et de réintégration dans leur dignité des personnes en difficulté deviennent utopiques dans la mesure où ce sont des investisseurs privés qui grâce à leur argent déterminent les actions sociales à financer et les objectifs chiffrés à atteindre avec les indicateurs de performance de leur choix. Ce type de paiement au résultat est inadapté dans un secteur où le temps long du rapport humain est indispensable pour satisfaire aux droits à la solidarité des personnes en difficulté. Le court terme peut entraîner des conséquences négatives, notamment lorsqu'il s'agit de familles et d'individus malmenés par de longues années de souffrances. De plus la destruction des rapports humains entre les professionnels du social et les bénéficiaires de leurs services aboutit à la souffrance des deux maillons de la chaîne.

Le pilonnage des services sociaux s'intensifie avec les différends traités de libre échange qui concernent actuellement la France. Le Tisa (Trade In Service Agreement) cible précisément le commerce des services. Le Tisa constitue une menace mortelle pour les services publics : la santé, l'éducation ou l'aide aux démunis sont sur la table des négociations. Il s'agit d'ouvrir les économies nationales aux investisseurs étrangers sans limite de leur nombre et du volume de leurs investissements mais avec le minimum de régulations nationales. Les normes sanitaires et environnementales seront sacrifiées pour les meilleurs profits des actionnaires des multinationales. Comme pour le Tafta (traité de libre-échange transatlantique) qui concerne les États-Unis et l'Europe et le Ceta, traité commercial entre l'Europe et le Canada, les entreprises auront la possibilité de recourir à des tribunaux arbitraux en cas de contestation de décisions gouvernementales freinant la liberté des multinationales de faire de l'argent avec ce qui relève du bien commun et de la solidarité sociale et citoyenne. Ces traités ont été négociés ou se négocient entre experts dans l'opacité des alcôves du pouvoir mondialisé sous le sceau du secret des affaires.

Pourquoi 3 traités internationaux au même moment? Tout simplement pour être sûrs d'aboutir à cette libéralisation des services. Le pilonnage permet d'avancer sur le Tisa quand la contestation est trop importante contre le Tafta ou de ratifier le Ceta en faisant croire à l'abandon du Tafta! La rafale permet de jouer sur 3 tableaux pour mieux piéger le gibier. Le Ceta signé dans la précipitation le dimanche 30 octobre 2016 ne serait-il pas d'ailleurs un cheval de Troie des multinationales américaines en Europe pour faire passer en douce les normes contestées du Tafta?

Au-delà des aspects financiers il s'agit aussi d'une offensive idéologique de destruction du bien commun que sont les services publics basés sur l'intérêt général et la solidarité sociale et d'une privatisation rampante des prestations pour les plus démunis. Le pouvoir de l'argent sous le néolibéralisme doit contaminer toutes les relations sociales et assurer la construction d'individus néolibéraux qui ne devraient qu'à eux-mêmes leurs succès ou la responsabilité de leurs échecs.

Ce caractère systémique pourrait faire penser à *1984* d'Orwell à la différence qu'avec le néolibéralisme, il ne s'agit pas d'un parti unique qui contrôlerait tout et tout le monde mais d'une pensée unique, celle de l'argent roi. Et pour cela l'oligarchie est mobilisée. Les armes idéologiques et linguistiques du néolibéralisme ont transformé les « investissements humains » en « déficits financiers ». La régression anthropologique du néolibéralisme, pour lequel aucun secteur de l'existence sociale et psychique ne doit lui échapper, aboutit à une déshumanisation au profit d'une idéologie technique, comptable, chiffrée, financiarisée qui considère l'être humain comme une simple marchandise. Cette violence est tue, naturalisée, déniée et dépolitisée.

L'oligarchie aujourd'hui mondialisée permet la connexion de la synergie des inégalités sociales et économiques, du réchauffement climatique, de la marchandisation des ressources naturelles et de l'humain, sans oublier les guerres et les trafics en tous genres.

L'idéologie néolibérale ne peut plus connaître d'alternative, elle est un point de non retour. L'idée du changement est devenue un crime contre le pragmatisme. Le système capitaliste s'est construit grâce à l'esclavage, au servage, à l'exploitation du travail par les propriétaires des moyens de production. L'esclavagisme moderne se met en place avec la mise des peuples sous la tutelle des « marchés », c'est-à-dire des créanciers, des actionnaires, des riches de tous poils, de leurs experts et de leurs déficits. C'est la plus belle des récessions et des impostures qui est aujourd'hui imposée au nom de la réforme, du changement et du modernisme par une oligarchie mondialisée autour de la finance spéculative à l'échelle de la planète.

Conclusion

Rien de tout ce que nous écrivons dans ce texte qui cherche à éclairer les citoyens sur la logique implacable d'une guerre aux conséquences criminelles n'est exhaustif. Nous cherchons simplement à ce que les lecteurs acceptent de porter les lunettes que nous leur proposons pour comprendre la gravité de la situation. La pensée critique partagée est déjà une forme de résistance à l'inadmissible. La pensée néolibérale est une catastrophe intellectuelle à laquelle ont œuvré d'un commun accord droite et gauche de gouvernement, sous la bénédiction d'une technocratie européenne incontrôlable par les peuples, qui enveloppe la guerre des classes d'un brouillard dense et d'une nuit impénétrable. Seule la connaissance et la compréhension des rapports entre les classes sociales peut permettre de créer la dynamique pour enlever toutes les richesses et les pouvoirs d'une petite oligarchie dont la cupidité à l'égard de l'argent ampute l'anticipation de l'avenir de l'Humanité. Il est urgent d'agir avant qu'il ne soit trop tard.

Des mêmes auteurs

- *Dans les beaux quartiers*, Seuil, « L'épreuve des faits », Paris, 1989 (rééd. 2001).
- *Quartiers bourgeois, quartiers d'affaires*, Payot, « Documents », Paris, 1992.
- *La Chasse à courre, ses rites et ses enjeux*, Payot, « Documents », Paris, 1993 (rééditions « Petite bibliothèque Payot », 1996 et 2003).
- *Grandes Fortunes. Dynasties familiales et formes de richesse en France*, Payot, « Documents », Paris, 1996 (rééditions « Petite bibliothèque Payot », 1996 et 2006).
- *Voyage en grande bourgeoisie. Journal d'enquête*, PUF, « Sciences sociales et sociétés », Paris, 1997 (rééditions « Quadrige », 2002 et 2005).
- *Les Rothschild. Une famille bien ordonnée*, La Dispute, « Instants », Paris, 1998.
- *Nouveaux Patrons, nouvelles dynasties*, Calmann-Lévy, Paris, 1999.
- *Paris mosaïque. Promenades urbaines*, Calmann-Lévy, Paris, 2001.
- *Justice et politique : le cas Pinochet*, Syllepse, Paris, 2003.
- *Sociologie de la bourgeoisie*, La Découverte, « Repères », Paris, 2000 (nouvelles éditions 2003, 2007 et 2016).
- *Sociologie de Paris*, La Découverte, « Repères », Paris, 2004 (nouvelles éditions 2008 et 2014).
- *Châteaux et Châtelains. Les siècles passent, le symbole demeure*, Anne Carrière, Paris, 2005.
- *Les Ghettos du Gotha. Comment la bourgeoisie défend ses espaces*, Seuil, Paris, 2007 (réédition Points, Paris, 2010).
- *Paris. Quinze promenades sociologiques*, Payot, Paris, 2009 (rééd. « Petite bibliothèque Payot », 2013).
- *Les Millionnaires de la chance. Rêve et réalité*, Payot, Paris, 2010 (rééd. « Petite bibliothèque Payot », 2012).
- *Le Président des riches. Enquête sur l'oligarchie dans la France de Nicolas Sarkozy*, Zones, Paris, 2010 (nouvelle édition La Découverte, « Poche/Essais », 2011).
- *L'Argent sans foi ni loi*, Conversation avec Régis Meyran, Textuel, Paris, 2012.
- *La Violence des riches*, Chronique d'une immense casse sociale, Paris, Zones, 2013 (nouvelle édition La Découverte, « Poche/Essais », Paris, 2014).
- *Tentative d'évasion (fiscale)*, Zones, Paris, 2015.

En collaboration

- avec Marion MONTAIGNE, *Riche, pourquoi pas toi ?*, Dargaud, Paris, 2013.
- avec Étienne LECROART, *Pourquoi les riches sont-ils de plus en plus riches et les pauvres de plus en plus pauvres ?*, La Ville brûle, Montreuil, 2014.
- avec Pascal LEMAITRE, *C'est quoi être riche ?*, L'Aube, « Les grands entretiens d'Emile », La Tour-d'Aigues, 2015.

Achevé d'imprimer en mai 2017
sur les presses de Normandie Roto Impression s.a.s, Lonrai.
N° d'impression : 1701990 - Dépôt légal : avril 2017
Imprimé en France